LUDWIG VAN BEETHOVEN

CONCERTO No. 5

for Piano and Orchestra
E♭ major/Es-Dur/Mi♭ majeur
Op. 73
"Emperor"
Edited by/Herausgegeben von
Wilhelm Altmann

Ernst Eulenburg Ltd
London · Mainz · New York · Paris · Tokyo · Zürich

I.   Allegro   1
II. Adagio un poco mosso   .   .   . 109
III. RONDO Allegro   122

BEETHOVEN, PIANO CONCERTO N<u>o</u> 5, OP. 73.

On the original manuscript copy of this concerto, preserved in the music department of the Prussian State Library in Berlin, the date 1809 is written. But the work was not finished until the following year. On Feb. 4th 1810 it was offered to the Leipzig publishers Breitkopf & Härtel, who acquired it. On July 2nd however, the firm received from Beethoven the news that they would only obtain it with the second batch of his accepted compositions, the publication of which he expected by Nov. 1st. The work must have been in the publisher's hands in August, as Beethoven inscribed his dedication to the Archduke Rudolf on the 21st of that month. By Oct. 15th Beethoven must have had the proof-sheets; in his letter to the firm, of this date, he mentions that the manuscript, which he had received with the proof copy, was in the hands of the Archduke Rudolf, who would not return it. Beethoven obviously took a long time over the work of correction, and even on May 6th 1811 pointed out a mistake in the first violin part of the concerto. He was very indignant on hearing, two days afterwards, that the firm had already sent printed copies of the work for sale to a music-dealer in Vienna, in spite of the existing mistake.

The original edition which only appeared in the parts, bears the following title: Grand Concerto Pour le Pianoforte avec Accompagnement de l'Orchestre composé et dedié à son Altesse Imperiale Roudolphe Archi-Duc d'Autriche etc. par L. v. Beethoven. Propriété des Editeurs. Ouev. (!) 73. Pr. 4 Rthlr. à Leipzic Chez Breitkopf & Härtel.

The original publishers did not print a score till the year 1857, and C. F. Peters in Leipzig also brought one out in 1864. The Miniature Score edition of Eulenburg, which is reprinted with the present introduction, first appeared in 1899.

Beethoven never played this concerto in public, but probably did so in the house of his pupil, the Archduke Rudolf. The first public performance seems to have taken place on November 28th 1811 in the Gewandhaus, Leipzig, with Friedrich Schneider as soloist. Afterwards, Vienna heard it for the first time in the Kärntner-Tor Theatre; Karl Czerny played the solo part.

Wilh. Altmann

BEETHOVEN, KLAVIER-KONZERT No 5, OP. 73

Auf der in der Musikabteilung der Preußischen Staatsbibliothek in Berlin aufbewahrten Original-Handschrift steht das Jahr 1809. Doch ist das Werk erst im nächsten Jahre vollendet worden. Am 4. Februar 1810 wurde es dem Leipziger Verlag Breitkopf & Härtel angeboten, der es auch erwarb, aber von Beethoven am 2. Juli die Nachricht erhielt, daß es erst mit dem zweiten Transport seiner angenommenen Kompositionen, dessen Drucklegung er bis zum 1. November erwarte, abgeschickt werden würde. In den Händen des Verlags muß es im August gewesen sein, da Beethoven am 21. ds. Mts. die Dedikation an den Erzherzog Rudolf angibt. Am 15. Oktober muß er bereits die Korrektur gehabt haben; er erwähnt in dem Briefe ·von diesem Tage an die Firma, daß das mit dem Probeexemplar gekommene Manuskript in den Händen des Erzherzogs Rudolf sei, der es nicht mehr wiedergebe. Sehr ungehalten war Beethoven, der sich mit der Korrektur offenbar sehr Zeit nahm und am 6. Mai 1811 noch auf einen Fehler in der I. Violinstimme des Konzerts besonders aufmerksam machte, als er zwei Tage darauf erfuhr, daß der Verlag bereits Druck-Exemplare trotz der darin noch enthaltenen Fehler an eine Wiener Musikalienhandlung zum Vertrieb geschickt habe.

Die nur in Stimmen erschienene Original-Ausgabe hat folgenden Titel: Grand Concerto Pour le Pianoforte avec Accompagnement de l'Orchestre composé et dedié à son Altesse Imperiale Roudolphe Archi-Duc d'Autriche etc. par L. v. Beethoven. Propriété des Editeurs. Ouev. [!] 73. Pr. 4 Rthlr. à Leipzic Chez Breitkopf & Härtel.

Erst im Jahre 1857 gab der Original-Verlag eine Partitur heraus, 1864 auch C. F. Peters in Leipzig. Die kleine Partitur - Ausgabe des Verlags Eulenburg, die mit diesen Notizen neu gedruckt worden ist, erschien zuerst 1899.

Öffentlich hat Beethoven dieses Konzert nie gespielt, vermutlich aber im Hause seines Schülers, des Erzherzogs Rudolf. Die erste öffentliche Aufführung scheint am 28. November 1811 im Leipziger Gewandhause (Solist: Friedrich Schneider) stattgefunden zu haben. Die erste öffentliche Vorführung in Wien erfolgte im Kärntner-Tor-Theater. Karl Czerny spielte dabei die Solostimme.

Wilh. Altmann

Revisionsbericht:

Für die Textrevision von Beethovens op. 73 ist die von ihm selbst korrigierte Originalausgabe in Stimmen, die, wie vorstehend erwähnt, nicht ganz fehlerfrei ist, in erster Linie maßgebend, in zweiter Hinsicht die autographe Partitur, in der Beethoven viel korrigiert und nachträgliche Änderungen vorgenommen hat. In bezug auf Hinzufügung von Bindebogen und Stakkato-Punkten ist er keineswegs immer genau und konsequent verfahren, so daß es an manchen Stellen zweifelhaft bleibt, ob sie gebunden oder stakkato gespielt werden müssen; seine Bindebogen über Triolen und Fünftolen beweisen keineswegs, daß diese gebunden ausgeführt werden sollen, besonders wenn sie in einer Reihenfolge sonst ungebundener Passagen vorkommen. Auch in der Schreibweise (Oktavenbezeichnung, Vertauschung des Baßschlüssels mit dem Violinschlüssel) und in der Setzung der dynamischen Zeichen ist Beethoven nicht konsequent verfahren. In der vorliegenden, nur zum Studium und Nachlesen bestimmten Ausgabe ist in der Notierung aus praktischen Gründen die genaue Wiedergabe der übrigens in dem Autograph und der Originalausgabe häufig verschiedenen Schreibweise des Tonsetzers nicht angestrebt worden; von ihm offenbar vergessene dynamische Zeichen sind in eckigen Klammern hinzugesetzt. Von einigen Versehen der bisherigen Eulenburgschen Ausgabe ist diese revidierte gereinigt worden. Jener fehlten die mancherlei erleichterten Stellen, die Beethoven der Solostimme beigegeben hatte.

Sie folgen hier im Revisionsbericht; im Texte befindet sich immer ein Hinweis darauf.

Satz I (Allegro)

Im Takt 5 hat die II. V.
im Autograph; im Originaldruck fehlt das Viertel *d*.

Im Takt 10 muß die II. V. *b* auf der *G*-Saite haben.

In Takt 21 letztes Viertel hat im Druck die I. V. den ganz unmöglichen Griff
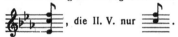, die II. V. nur .

Im Autograph sind beide Stimmen auf einem System; da steht das *es* (*D*-Saite) auch, kann aber allenfalls als *f* gedeutet werden, welche Lesart ich in den Text gesetzt habe.

Takt 31 und 32. Man beachte die von anderen Ausgaben abweichende, richtig gestellte Lesart der Hörner.

Takt 66/69. Der Wirbel der Pauke reicht auch über das Achtel des dritten Viertels.

Takt 136. Das *p* beim Fagott steht im Autograph, fehlt im Originaldruck.

Takt 163. Erleichtert sind in der Solostimme (rechte Hand) die beiden ersten
Viertel

Takt 165. Dsgl. die beiden letzten
Viertel

Takt 178. Erleichtert das erste Viertel

Takt 179/80. Erleichtert die beiden letzten Sechzehntel und das erste Viertel

Takt 181. Das *p* in der I. V. im Autograph, nicht im Originaldruck.

Takt 183. Das *p* im Kontrabaß im Autograph, nicht im Originaldruck.

Takt 199. Das *p* bei der Klarinette nur im Autograph.

Takt 206. Die zwei letzten Viertel der Solostimme, rechte Hand, sind zur Erleichterung eine Oktave tiefer zu spielen.

Takt 210. Der Bindebogen bei der Viola fehlt im Originaldruck.

Takt 215. Die zwei letzten Viertel, und Takt 216/7 können in der rechten Hand der Solostimme erleichtert gespielt werden:

Takt 231 und 232. Der Paukenwirbel umfaßt auch das Achtel.

Takt 251. Die Hörner bisher nicht richtig; im Originaldruck fehlt fälschlicherweise das vierte Viertel des II. Horns.

Takt 253. Im Originaldruck fälschlich in der I. Flöte statt der 2 Achtel des letzten Viertels eine Viertelnote.

Takt 274/5. Die Solostimme kann auch folgendermaßen gespielt werden:

Takt 303. Die beiden letzten Viertel und das erste des Takts 304 können in beiden Händen der Solostimme eine Oktave tiefer gespielt werden.

Takt 332. Die rechte Hand kann auch spielen:

Takt 351 ff. Die Solostimme hat Erleichterung in:

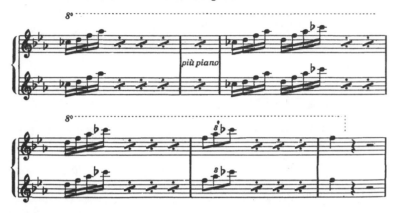

Takt 372. Der Originaldruck nach dem ersten Viertel in Sechzehnteln, doch wohl

fälschlicherweise  ;
vgl. dazu Takt 6.

Takt 392. Das erste Viertel der rechten Hand kann auch eine Oktave tiefer gespielt werden.

Takt 419. Die beiden ersten Viertel der

rechten Hand erleichtert:

Takt 421/3 in der rechten Hand erleichtert:

Takt 435. Letztes und Takt 436 erstes Viertel der rechten Hand erleichtert:

Takt 437. Letztes Viertel erleichtert:

Takt 453/4. Die rechte Hand erleichtert:

Takt 454. Im letzten Viertel der linken Hand hat der Originaldruck als zweite Note fälschlich *b* statt *c* (vgl. die Parallelstelle in Takt 456).

Takt 463. Obwohl die Angabe ‚Uno Violoncello' im Originaldruck und im

Autograph erst bei Takt 467 steht, dürfte es sich empfehlen schon von hier ab nur 1 Violoncell spielen zu lassen.

Takt 484 letztes Viertel und Takt 485 erstes Viertel können in der rechten Hand auch so gespielt werden:

Takt 491 und 494. Der Originaldruck hat

in den Trompeten , das

Autograph

Takt 494. Der letzte Teil der Kadenz kann auch gespielt werden:

Takt 503. Die beiden letzten Viertel und das erste von Takt 504 können auch gespielt werden:

Takt 547. Das *as* der I. Flöte im Originaldruck; im Autograph ein undeutliches *g*, offenbar vergessen den Strich zum *as* durchzuziehen. In diesem und den folgenden Takten (bis 554) kann die rechte Hand eventuell spielen:

Takt 551—567 fehlen im Autograph, sind durch eine weit spätere Abschrift ergänzt.

Takt 562—569 haben folgende Erleichterung der rechten Hand:

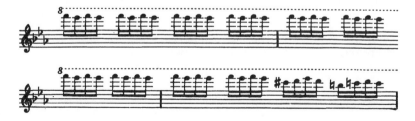

Takt 573. Vom letzten Viertel ab bis Schluß des Satzes erleichterte Fassung der Solostimme:

Takt 578. Das im Autograph mit Bleistift nachgetragene ‚piu forte' steht nur in den Violinstimmen des Originaldrucks, der bei den Fagotten fälschlicherweise *ff* hat.

Satz II (Adagio und Rondo)

Takt 56. Die II. V. hat im Autograph außer dem *cis* noch das darüber liegende, im Originaldruck nicht enthaltene *e*.

Takt 73. Im 2. Viertel beginnenden Achtel der II. V. *cis* im Originaldruck, *ais* (beide *G*-Saite) in der Handschrift.

Takt 56. Die Solostimme erleichtert in:

Takt 80. Die Streicher haben im Autograph das Pizzikato erst beim letzten Achtel. Die II. V. fehlt im Originaldruck, ist im Autograph mit Bleistift nachgetragen.

Takt 102. Der Triller (auch an den entsprechenden Stellen) muß sich auch auf das erste Sechzehntel mit erstrecken; in der I. V. ist dies im Originaldruck übersehen.

Takt 121. Der im Autograph vorhandene Bindebogen der Viola im Originaldruck fälschlich nicht enthalten.

Takt 179. Im Originaldruck, linke Hand, 3. Achtel oberste Note fälschlich *as*.

Takt 216/9. Die Solostimme erleichtert:

Takt 234. Der Originaldruck läßt fälschlich (vgl. Takt 288) die II. V. mit der I. V. unisono gehen statt zu pausieren.

Takt 236. Die Klavierstimme genau nach Originaldruck und Autograph.

Takt 249/253. Die rechte Hand der Solostimme erleichtert:

Takt 260/1.   Erleichtert (urspr. Lesart des Autographs):

Takt 288.   Erleichtert (urspr. Lesart des Autographs):

Takt 415. Erleichtert:

Takt 419/20. Erleichtert:

Takt 433. Die I. Klarin. hat im Originaldruck fälschlich als erstes Viertel *b*, die
II. V. als 8. Sechzehntel fälschlich *des*.

Takt 484—509 fehlen im Autograph.
Takt 506/7. Erleichtert:

Wilh. Altmann

CONCERTO No.5

I

Allegro

L. van Beethoven, Op. 73
1770–1827

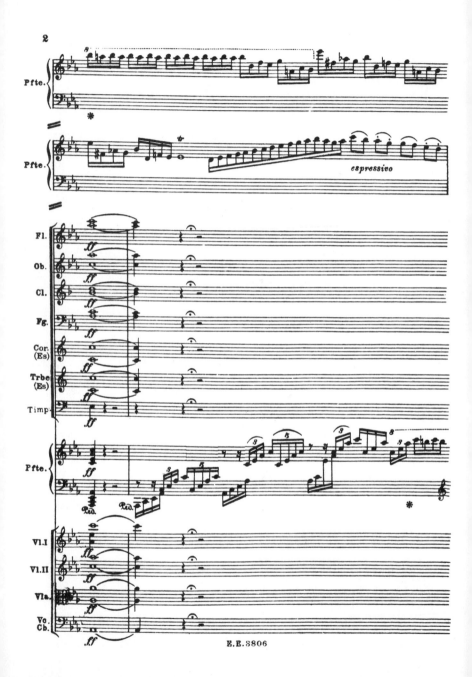

E.E.3806

4

E.E.3806

5

E.E.3806

8

9

E. E. 3806

12

E. E. 3806

14

E. E. 3806

E. E. 3806

E.E.3806

18

20

26

E.E.3806

E.E.3806

30

E.E.3806

32

34

E.E.3806

36

E.E. 3806

E.E.3806

42

E.E.3806

E.E.3806

E.E.3806

[Vgl. Revis.-Ber.]

56

E. E. 3806

58

E.E.3806

E.E.3806

62

[Vgl. Revis-Ber.]

E. E. 3806

64

E. E.3806

66

E.E.3806

senza tempo

[Vgl. Revis.-Ber.]

E. E. 3806

68

E.E.3806

E.E.3806

72

400

E.E.3806

76

E.E.3806

78

E.E.3806

E. E. 3806

84

E.E.3806

88

E. E.3806

Tutti

NB. Non si fa una Cadenza, ma s'attacca subito il seguente.

E. E. 3806

94

E.E.3806

E. E. 3806

100

E.E.3806

106

E.E.3806

E.E.3806

II

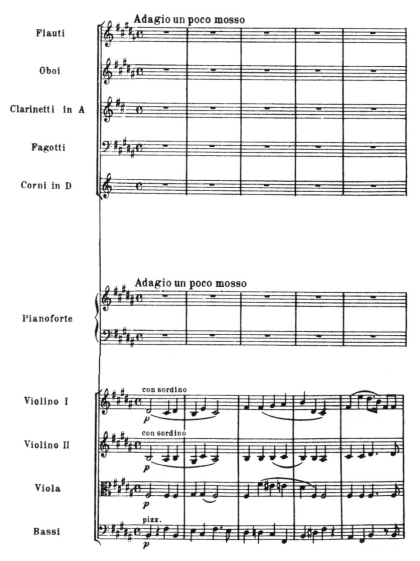

E.E.3806

E.E.3806

116

E. E. 3806

E. E. 3896

120

E.E.3806

III

Rondo
Allegro

130

E.E.3806

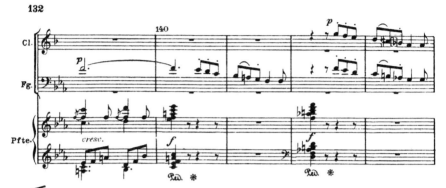

140

[Vgl. Revis.-Ber.]

142

E. E.3806

148

E.E.3806

144

E.E.3806

E.E.3806

148

E.E.3806

149

E.E.3806

150

E.E. 3806

E.E.3806

156

E. E. 3806

158

E.E.3806

E.E.3806

164

E.E.3806

E.E.3806

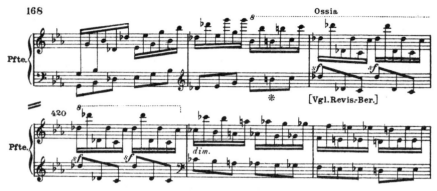

Ossia

[Vgl. Revis.-Ber.]

420

Fl.

Ob.

Cl.

Fg.

Cor.
(Es)

Tbe.
(Es)

Timp.

Pfte.

Vl.I

Vl.II

Vla.

Vc.
Cb.

E.E.3806

174

175

E.E.3806

E.E.3806

182

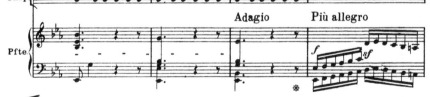

E.E.3806